SERÁ QUE TODO MUNDO TEM?

Impresso no Brasil

EDITORES Diego Rodrigues e Naiara Raggiotti

PRODUÇÃO
EDITORIAL Karina Mota e Luiza Acosta
ARTE Bruna Parra e Elaine Alves
MARKETING E VENDAS
PLANEJAMENTO Fernando Mello
PEDAGÓGICO E COMUNICAÇÃO Jessica Costa e Nara Raggiotti
COMERCIAL Elizabeth Fernandes
ADMINISTRATIVO
RECURSOS HUMANOS Rose Maliani
FINANCEIRO Amanda Gonçalves
RECEPÇÃO E ALMOXARIFADO Cristiane Tenca
EQUIPE DE APOIO
SUPORTE PEDAGÓGICO Alice Santo, Cristiane Boneto (coordenadora), Nilce Carbone e Tamiris Carbone
REVISÃO Cecília Madarás e Naiá Diniz

Dados Internacionais de Catalogação na Publicação (CIP)

B712s Boneto, Cristiane
Será que todo mundo tem? / Cristiane Boneto, Marco Hailer; ilustrado por Cecilia Murgel. - São Paulo: Carochinha, 2020.

48 p. : il. ; 20,5cm x 27,5cm.

ISBN: 978-85-9554-026-2

1. Literatura infantil. 2. Inclusão. 3. Sentidos. I. Hailer, Marco. II. Murgel, Cecilia. III. Título.

2019-502 CDD 028.5
CDU 82-93

Elaborado por Vagner Rodolfo da Silva - CRB-8/9410

Índice para catálogo sistemático:
1. Literatura infantil 028.5
2. Literatura infantil 82-93

1ª edição, 2020
1ª reimpressão, 2021

carochinha

rua mirassol 189 vila clementino
04044-010 são paulo sp
11 3476 6616 : 11 3476 6636
www.carochinhaeditora.com.br

Siga a Carochinha nas redes sociais:
/carochinhaeditora

Cristiane Boneto
Marco Hailer

SERÁ QUE TODO MUNDO TEM?

Ilustrações
Cecília Murgel

carochinha

SERÁ QUE TODO
MUNDO TEM DOIS
OLHOS
PARA ESPIAR?

OLHA O CLARO,

OLHA O ESCURO,

OLHA
ATÉ ATRÁS
DO MURO!

TEM OLHO DE TODO JEITO...

OLHO GRANDE,

OLHO PEQUENO,

REDONDINHO

OU *PUXADINHO*...

QUE ENXERGA LONGE

OU SÓ DE PERTINHO.

QUASE NADA

OU SÓ UM POUQUINHO.

É IMPORTANTE
TER EM MENTE
QUE COM LENTE
OU SEM LENTE

CADA UM
ENXERGA
O MUNDO
DE MANEIRA
DIFERENTE!

SERÁ QUE
TODO MUNDO
TEM UM
NARIZ
PARA
CHEIRAR?

CHEIRO
FORTE
OU CHEIRO
FRACO.
CHEIRO
BOM,
CHEIRO
RUIM.

PUXA...
QUE
CHEIRINHO
É ESSE
QUE SENTI
ATRÁS DE MIM?

TEM NARIZ DE
TODO JEITO...

NARIZ **LARGO**,
NARIZ FINO,
NARIZ CURTO
OU
COMPRIDINHO.

NARIZ
PONTUDO
OU
REDONDINHO,
QUE CHEIRA
DEMAIS
OU SÓ UM
POUQUINHO.

TEM ATÉ NARIZ QUE

cRESCE

SE UMA MENTIRA CONTAR,

TEM NARIZ QUE É TAMPADO
QUANDO SE QUER MERGULHAR.

MAS NÃO SE ESQUEÇA,
NOVAMENTE
É PRECISO
TER EM MENTE

QUE CADA UM
CHEIRA O MUNDO
DE MANEIRA DIFERENTE!

SERÁ
QUE TODO
MUNDO TEM
O SEU JEITO DE
FALAR?
UM COCHICHO BEM BAIXINHO

COCORICÓ
OU
UM
GRITO
PRA
ASSUSTAR
O QUE SERÁ
QUE MINHA
PANÇA
ESTÁ QUERENDO
ME FALAR?

HÁ MUITOS JEITOS DE FALAR...
FALA
GROSSO,
FALA
FINO,
RAPIDINHO
OU DEVAGAR.

FALA ALTO,
FALA BAIXO,
A COCHICHAR
OU COCHILAR.
MIAUUuuuuu
21

Era uma vez

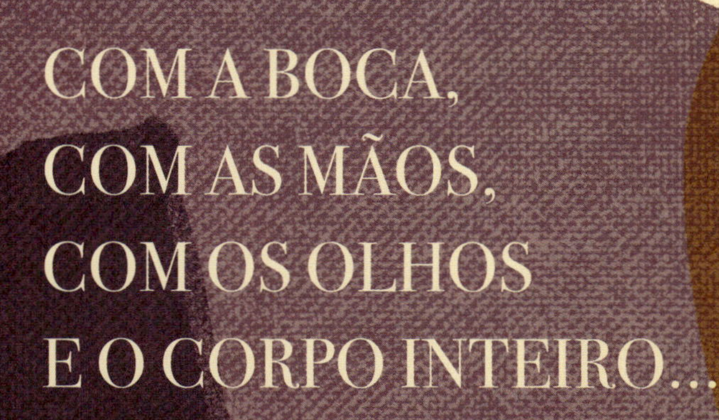

COM A BOCA,
COM AS MÃOS,
COM OS OLHOS
E O CORPO INTEIRO...

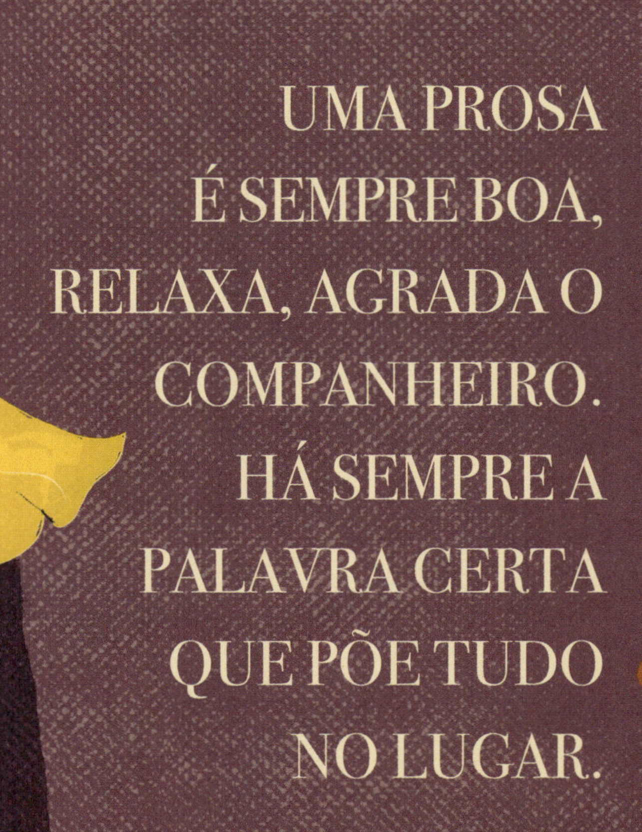

UMA PROSA
É SEMPRE BOA,
RELAXA, AGRADA O
COMPANHEIRO.
HÁ SEMPRE A
PALAVRA CERTA
QUE PÕE TUDO
NO LUGAR.

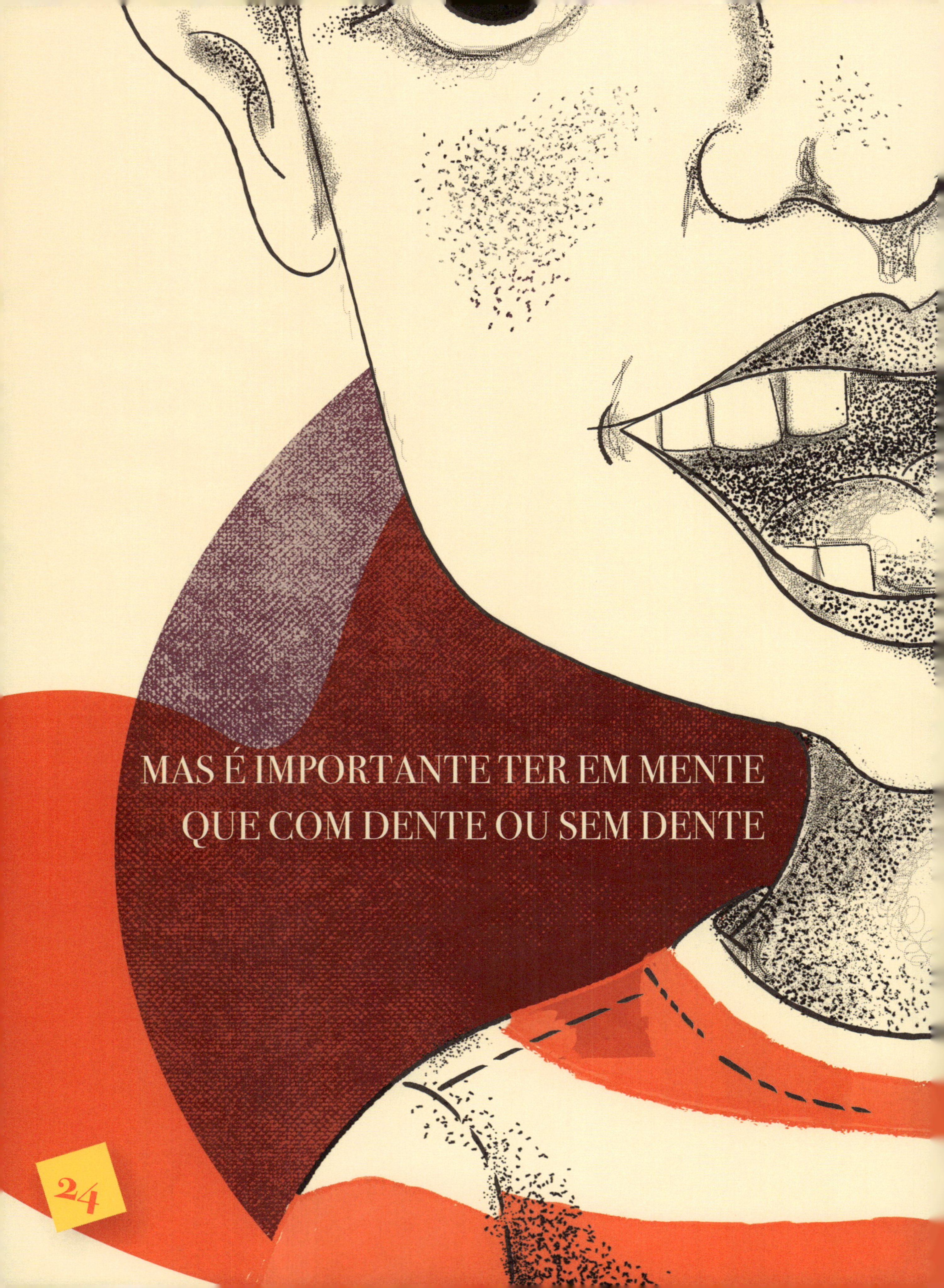

MAS É IMPORTANTE TER EM MENTE
QUE COM DENTE OU SEM DENTE

CADA UM FALA
COM O MUNDO
DE MANEIRA
DIFERENTE!

SERÁ
QUE TODO
MUNDO
TEM DOIS
OUVIDOS
PARA
OUVIR?

UM SOM GRAVE
OU AGUDO,
AGRADÁVEL
OU IRRITANTE...

COM MUITAS PAUSAS
E INTERVALOS,
OU QUE NÃO PARA
NENHUM INSTANTE.

TEM SOM DE TODO JEITO...
ALTO,
BAIXO,
TRANQUILO,
DANÇANTE.
NATURAL,
ARTIFICIAL,
INTRIGANTE,
EMOCIONANTE.

TEM GENTE QUE SE ENCANTA
QUANDO ESCUTA UMA CANÇÃO.
PARA OUTROS, BASTA APENAS
OUVIR O PRÓPRIO
CORAÇÃO.

É SOM ALTO,
É SOM BAIXO,
MUITO INTENSO
OU SONOLENTO.
MAS É PRECISO ABRIR ESPAÇO
PARA A ESCUTA DO

SILÊNCIO!

SERÁ QUE TODO MUNDO TEM O SEU JEITO DE SENTIR?

SE ESTÁ QUENTE
OU SE ESTÁ FRIO,
PELANDO
OU DE GELAR,
SALGADO,
DOCE, AZEDO,
OU SE ESTÁ
DE AMARGAR.

TEM COISA DE TODO JEITO ...

TEM O LISO
E O ÁSPERO
TEM O GROSSO
TEM O FINO

O QUE É FIRME
E NÃO DEFORMA.

E O QUE, COM A ÁGUA,
LOGO PERDE A FORMA.

TEM GENTE
COM PELE FINA,
TEM O TATO
APURADO.
TEM GENTE
QUE SENTE
O GOSTO
COM O PALADAR
AGUÇADO.

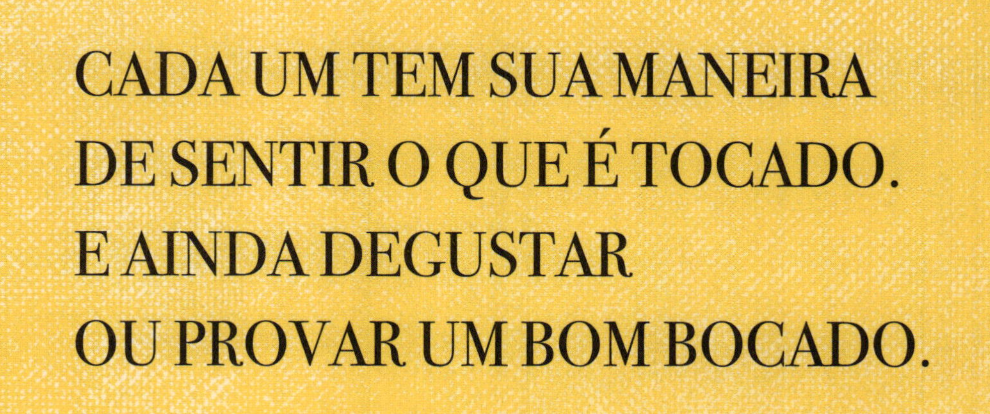

CADA UM TEM SUA MANEIRA
DE SENTIR O QUE É TOCADO.
E AINDA DEGUSTAR
OU PROVAR UM BOM BOCADO.

SERÁ QUE TODO MUNDO TEM O SEU JEITO DE GOSTAR?

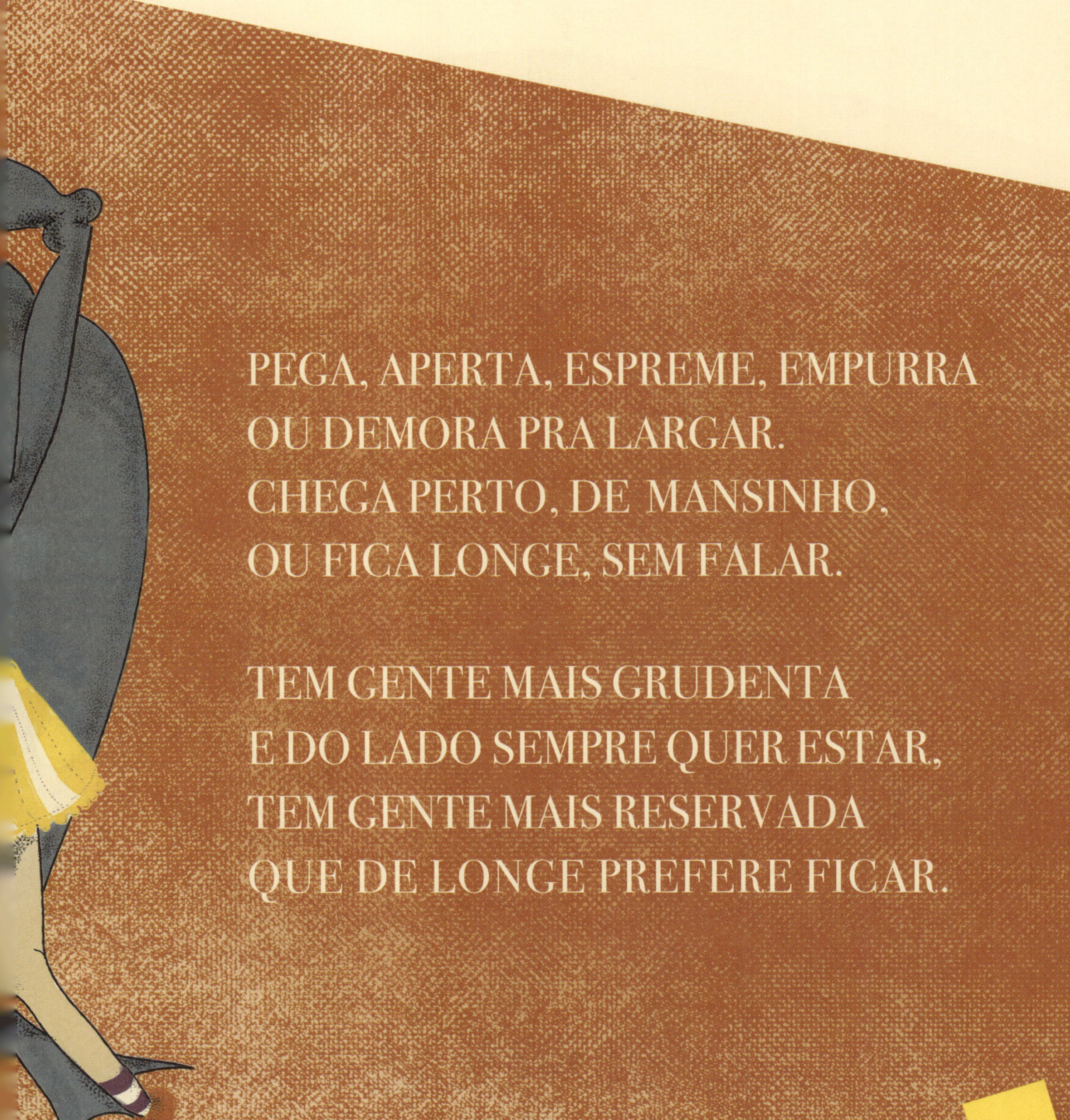

PEGA, APERTA, ESPREME, EMPURRA
OU DEMORA PRA LARGAR.
CHEGA PERTO, DE MANSINHO,
OU FICA LONGE, SEM FALAR.

TEM GENTE MAIS GRUDENTA
E DO LADO SEMPRE QUER ESTAR,
TEM GENTE MAIS RESERVADA
QUE DE LONGE PREFERE FICAR.

E VOCÊ? COMO
É QUE FAZ QUANDO
QUER SE EXPRESSAR?

DÁ UM
ABRAÇO
APERTADO,
UM BEIJO DE
BORBOLETA,
UM TCHAUZINHO
ACANHADO,
OU PREFERE
UMA CARETA?

DEIXA ESCRITO
UM BILHETINHO
OU DÁ UMA
RISADINHA?
PREFERE
DIVIDIR UM
SORVETE
OU ESCREVER
UMA CARTINHA?

SERÁ QUE TODO
MUNDO TEM ALGUÉM
PRA CONTAR SEGREDOS?

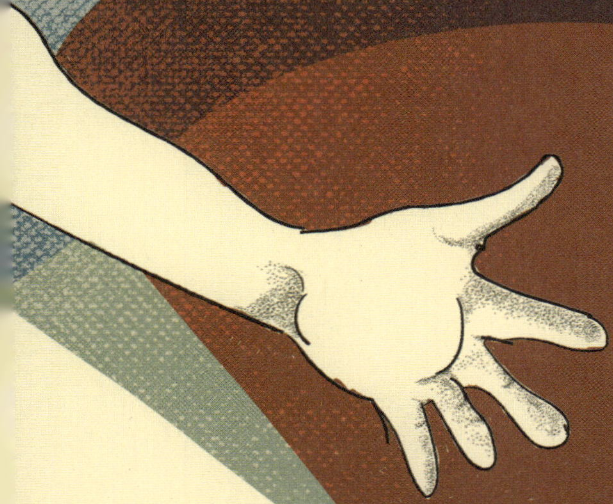

PARA DAR RISADA JUNTO
E FICAR SEMPRE UNIDO?
EU NÃO CONTO
PRA NINGUÉM,
MAS QUEM É SEU
PREFERIDO?

EU VOU LOGO
LHE DIZER,
PODE CONTAR
COMIGO!
VOCÊ AÍ QUE ESTÁ
ME LENDO
NÃO QUER SER MEU
GRANDE AMIGO?

SEI QUE TODO MUNDO TEM...

O SEU JEITO
O SEU LUGAR
E SUA FORMA
DE PENSAR.

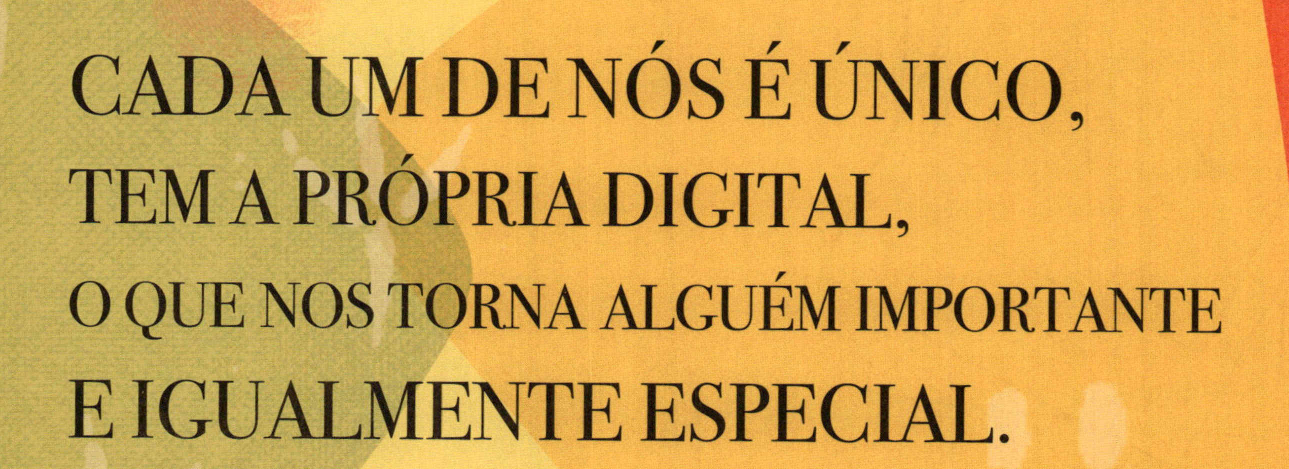
CADA UM DE NÓS É ÚNICO,
TEM A PRÓPRIA DIGITAL,
O QUE NOS TORNA ALGUÉM IMPORTANTE
E IGUALMENTE ESPECIAL.

ESTA É A SUA DIGITAL

CRISTIANE BONETO

Meu nome é Cristiane, mas quase todos os meus amigos e amigas me chamam de Cris, e eu adoro ser chamada assim. Minhas coisas prediletas são: viajar, fazer arte, compartilhar ideias e conhecer novos lugares e pessoas. Sempre tive, e ainda tenho, amigos e amigas de todo jeito, e isso é o que mais me fascina! Que chato seria se fôssemos todos iguais, você não acha? Somos únicos e igualmente especiais!

Foto: arquivo pessoal

MARCO HAILER

Sou o Marco Antônio. Tenho o prazer de contar para vocês que, durante toda a minha vida, sempre realizei as coisas de que mais gosto: ler, escrever, fazer música e ser professor. Ah, e fazer amizade com todo mundo. Gente colorida, gente alta ou baixinha, tímida ou assanhada, gente gorda, gente magra, quietinha ou barulhenta, de cabelo liso ou enroladinho. Quando faço música ou escrevo, esta é a minha inspiração: gente. Afinal, gente é para brilhar, não é mesmo?

CECÍLIA MURGEL

Todo mundo nasce em algum lugar, e eu nasci em São Paulo, numa terça-feira de dezembro, num hospital grande e branco. O médico tinha olhos puxados e usava óculos. A enfermeira, que logo me pegou no colo, usava véu na cabeça e atendia pelo nome de Irmã Maria José. A primeira coisa que percebi ao chegar ao mundo é que as pessoas são diferentes.

Estudei arquitetura e, por muito tempo, desenhei coisas que se constroem com tijolo e concreto. Depois de anos traçando retas e curvas, descobri que tem gente que desenha casas; tem gente que desenha estradas; tem gente que desenha navio; tem gente que desenha foguete e tem gente que nem gosta de desenhar. Mas eu gosto mesmo é de desenhar sonhos!

Gosto de dizer que sou desenhadora, mas como no mundo tem gente que pensa de todo jeito, há quem ainda ache que existe um mundo de pessoas grandes e outro mundo de pessoas pequenas. Para essas pessoas, eu digo que sou ilustradora.

Depois de ouvir as opiniões de todos e aprender a ler
com os cinco sentidos, a turma do Reino da Carochinha
finalizou este livro, em setembro de 2020.